Un marronnier
sous les étoiles

Mini Syros Romans

Couverture illustrée
par Julia Wauters

ISBN : 978-2-74-850656-3

Un marronnier sous les étoiles

Thierry Lenain

Pour Marie-Pierre, pour mes enfants.

Et si je m'en vais avant toi
Dis-toi bien que je serai là
J'épouserai la pluie, le vent,
Le soleil et les éléments
Pour te caresser tout le temps.

Françoise Hardy

CHAPITRE 1

J'avais huit ans quand mon grand-père est mort. Nous habitions une grande maison blanche au bord de la mer. Ce jour-là, le vent du large s'engouffrait par les fenêtres ouvertes. J'ai grimpé les escaliers quatre à quatre, et je me suis précipité dans sa chambre. Elle était vide. Les volets étaient fermés. Le silence régnait.

J'ai traversé toutes les pièces de la maison en l'appelant :

– Pépé ! Pépé !

Je suis monté au grenier, dans lequel nous jouions souvent à cache-cache.

J'ai renversé les malles, ouvert les armoires.

– T'es où, Pépé ! je pleurais. T'es où !...

Je suis redescendu sur la terrasse. Mon père, qui m'avait annoncé la nouvelle, était resté assis dans le fauteuil en osier. Le vent avait emporté son chapeau.

Je me suis cramponné au revers de sa veste.

– C'EST PAS VRAI ! j'ai crié, MENTEUR !

J'ai couru dans le jardin où grand-père et moi avions planté des fraisiers et des groseilliers. J'ai ramassé des fruits et j'ai tendu les mains.

– Regarde, Pépé ! Il y a des fraises !

Seules les vagues qui se fracassaient au pied des falaises m'ont répondu. Le jus rouge des fruits que j'écrasais a coulé entre mes doigts.

J'ai marché vers le marronnier, celui que son propre père avait planté le jour de sa naissance. Je l'ai frappé des deux poings.

– Bouge, Pépé ! Bouge...

Mais l'arbre est resté immobile. J'ai enlacé le tronc autant que le permettaient mes bras d'enfant et je me suis laissé glisser à terre. L'écorce rugueuse m'a râpé la joue.

Ma famille était athée. Personne ne croyait en Dieu, pas plus qu'au paradis ou à l'enfer. Deux mois après la disparition de grand-père – deux mois à pleurer en silence chaque nuit dans mon lit –, j'ai demandé à ma mère :

– Ils s'en vont où les morts ?

Maman m'a pris sur ses genoux.

– Mon petit Jules, elle a répondu de sa voix si douce, les hommes, comme les animaux, comme les plantes, finissent toujours par nourrir la terre qui les a portés...

Elle n'a rien ajouté et m'a bercé.

Je regardais, sans pouvoir en détacher les yeux, les feuilles ocre, tombées au pied du marronnier.

Quelques jours plus tôt, j'avais appris en classe qu'elles allaient lentement se décomposer. Grâce à un animal qui les

mangerait, qui les digérerait et les rejet-
terait, elles deviendraient terre.

Cet animal, c'était le lombric. Le ver de
terre gluant qui me dégoûtait tant.

La nuit qui a suivi a été la plus horrible
de ma vie. Un cauchemar affreux l'a han-
tée. Des milliers de vers rampaient sur le
cercueil de Pépé. J'ai hurlé de terreur
dans le noir.

Au matin, j'étais persuadé que ma mère
m'avait menti. Il ne pouvait pas en être
de grand-père comme des feuilles du
marronnier. Et j'allais le prouver.

J'ai attrapé un des chatons qui étaient
nés le jour où l'ambulance avait emmené
grand-père à l'hôpital. Je l'ai enfermé

dans un sac en plastique. Et je l'ai précipité du haut de la terrasse. Quand je l'ai
récupéré en bas, il ne bougeait plus. J'ai
creusé un trou près des groseilliers
abandonnés, et je l'ai déposé dedans.

Chaque jour à dix-sept heures précises
– j'attendais que sonne l'horloge du
salon – je me rendais dans le jardin. Je
chassais les insectes qui couraient dans
la fourrure du chaton. Et puis il y en a eu
trop. Ça ne servait plus à rien.

J'ai remis le chat dans un sac. Je suis allé
sur la falaise des Baleines, c'était un jour
de tempête et je l'ai jeté dans les vagues.

Je suis rentré à la maison. Sur le mur
de la salle à manger, le portrait de grand-
père fixait l'horizon par la baie vitrée.

J'ai décroché le tableau. Je l'ai fracassé sur le coin de la table. Le cadre s'est brisé. La toile s'est déchirée.

Alertée par le bruit, ma mère a accouru.

– J'aime plus Pépé, j'ai murmuré.

Je n'ai plus jamais pleuré la mort de grand-père. J'avais juste un trou noir dans le cœur.

Mais parfois je prenais mon épée en bois, j'allais sur le sable et, face aux vagues, je me battais contre un ennemi invisible, jusqu'à en tomber d'épuisement.

CHAPITRE 2

Aujourd'hui j'ai vingt-quatre ans. Je suis infirmier à l'hôpital des Petites-Roches. J'ai assisté à la mort de plusieurs personnes au cours de mon travail.

Mais pas une seule fois je n'ai pleuré. Pas une seule fois.

Mes collègues murmurent que mon cœur est de pierre.

Personne ne peut savoir que j'ai séché mes dernières larmes il y a longtemps, dans une maison blanche, au bord de la mer.

Je marche dans les rues désertes. C'est la nuit. Le bitume est encore mouillé, mais le vent a chassé l'orage. Je rentre de l'hôpital. Je pourrais déjà être dans mon lit, mon appartement se trouve à deux pas. Mais je viens de quitter Lola, et je ne veux pas dormir. Je vais marcher jusqu'à la sortie de la ville et prendre le chemin qui descend à la plage.

Lola est arrivée à l'hôpital il y a cinq jours. J'étais de garde. La sirène a déchiré le silence de la nuit et la lumière du gyrophare a bleui la cour.

Les portes automatiques se sont ouvertes. Deux ambulanciers portaient un brancard. La couverture dont ils avaient recouvert le corps ne laissait apercevoir qu'un visage d'enfant aux paupières closes. Le sang séché avait collé les mèches sur son front.

Un chirurgien a surgi dans le couloir.

– Vite ! Dans la salle d'opération !

Ses assistants l'ont suivi. Et la lumière rouge s'est allumée au-dessus de la porte. Un des ambulanciers s'est assis sur une chaise de la pièce d'accueil. Il a grillé une cigarette en dodelinant de la tête.

– Qu'est-ce qu'il s'est passé ? j'ai demandé.

– Un accident... un camion qui roulait trop vite... les parents sont morts sur le coup...

Les larmes glissaient sans bruit sur ses joues.

Au petit matin, la lumière rouge s'est enfin éteinte. Le chirurgien est sorti. Il a ôté sa blouse. Son visage était grave. Il s'est adossé contre le mur et a laissé échapper un long soupir.

– Elle va s'en sortir ? j'ai demandé.

– Dieu seul le sait, il a murmuré. Dieu seul le sait...

Dans sa bouche à lui, aussi athée que mon père et ma mère, je savais ce que ces paroles signifiaient.

L'image de cette petite fille ne m'a plus quitté. Elle réveillait en moi le souvenir d'un enfant de huit ans abandonné par son grand-père...

Quand j'ai repris mon service le sur-lendemain, j'ai tout de suite interrogé Jocelyne, ma collègue.

– Et la petite accidentée, comment se porte-t-elle ?

– Elle s'est réveillée ce matin. Son corps est paralysé. Il y a très peu d'espoir... Et pourtant, c'est incroyable ! son visage ne porte la marque d'aucune douleur. Elle a l'air si... paisible... Oui, c'est ça. Paisible.

Elle a refermé son casier.

– Fais attention, elle m'a recommandé. Pour ses parents, on ne lui a encore rien dit.

J'ai entrebâillé la porte de la chambre de Lola et je me suis approché.

Elle dormait. J'ai contemplé son visage, et j'ai compris ce qu'avait tenté de m'expliquer Jocelyne.

Malgré l'accident, malgré son corps immobilisé, elle dormait comme n'importe quel enfant dont le sommeil n'aurait été troublé par aucun cauchemar.

J'ai suivi un instant des yeux le point lumineux qui se déplaçait sur l'écran du moniteur cardiaque.

À chaque battement de son cœur, il dessinait le sommet d'une petite montagne. Tout semblait normal.

Je me suis éloigné sans bruit.

Sa voix, bien éveillée, a alors résonné dans mon dos.

– Tu t'appelles comment ?

– Jules, j'ai répondu en me retournant.

Ses yeux brillaient dans la pénombre.

– Et toi c'est Lola, je crois. C'est un très joli prénom.

Elle a souri.

– C'est ma mère qui l'a choisi...

Je préférais éviter ce sujet.

– Et tu as quel âge ?

– Huit ans. Ils sont où mes parents ?

– Dans une chambre, comme toi. Ils ne peuvent pas encore se...

Son regard accrochait le mien.

Elle n'avait dans les yeux l'ombre d'aucune fatigue, d'aucune tristesse, d'aucune peur. Elle ne ressemblait en rien aux malades dont j'avais l'habitude de m'occuper. Cette enfant me fascinait. M'intimidait.

J'ai su que je ne pourrais pas lui mentir. J'ai voulu tourner les talons et quitter la chambre. Mais j'en ai été incapable.

– Tes parents sont morts, j'ai murmuré du bout des lèvres.

Le bip de son cœur s'est accéléré sur l'écran.

– Je le savais...

– Mais il ne faut pas pleurer, Lola ! j'ai ajouté en lui prenant la main. Il ne faut pas...

Une sonnerie a retenti. Un malade m'appelait d'urgence.

– Ne pleure pas, Lola. Je reviens tout de suite.

J'ai couru dans le couloir. Le sang cognait mes tempes. Pourquoi lui avais-je dit la vérité ? Pourquoi ? Elle n'avait pas

encore assez de force pour la supporter.
Et si à cause de moi...

Non je ne voulais pas ça, je ne voulais pas !

Quand je suis revenu dans sa chambre, elle dormait. Profondément. Et, je le jure, elle souriait.

CHAPITRE 3

De retour chez moi, j'ai eu beaucoup de mal à trouver le sommeil. Je n'avais prévenu personne que j'avais révélé à Lola la mort de ses parents. C'était insensé mais, au moment où j'allais le faire, quelque chose m'en avait empêché. Le souvenir de son regard. De son sourire.

Jusqu'à mon réveil, j'ai rêvé d'un petit garçon qui courait dans une grande maison blanche en appelant son grand-père.

Il renversait les malles du grenier. Il écrasait les fraises entre ses doigts. Il frappait le marronnier de ses poings. Et sur la terrasse, dans un fauteuil en osier, était assise une petite fille. Une petite fille qui souriait.

Quand j'ai repris mon service le soir suivant, personne ne m'a reproché quoi que ce soit. Ça m'a semblé étrange. J'ai interpellé Jocelyne dans le couloir.

– Et la petite Lola ?

– Toujours pareil... Ah, tu devrais aller la voir. Elle a demandé plusieurs fois après toi.

Avant de poursuivre son chemin, elle a ajouté :

– Pour ses parents, on ne lui a toujours rien dit...

Une infirmière changeait ses compresses. Lola m'a lancé un clin d'œil.

– Tu peux rester un peu avec moi ?

J'ai répondu oui de la tête et je me suis assis sur la chaise, à côté du moniteur cardiaque. Le bip continuait à tracer des pics sur l'écran.

Avant de quitter Lola, l'infirmière lui a caressé le front :

– Tu es une petite fille courageuse. Tu verras, tout ira mieux bientôt.

Sa voix tremblait. Et j'étais certain qu'une fois dans le couloir elle pleurerait.

– Je ne leur ai rien répété pour hier, a chuchoté Lola une fois qu'on s'est retrouvés seuls.

– Je n'aurais pas dû te...

– Pourquoi ? Je le savais.

– Mais alors, quelqu'un t'avait déjà pré-
venue ?

– Non. Mais je le savais. Et puis je n'ai
pas pleuré !

Lola m'intriguait. Quelque chose en
elle m'effrayait.

Comment pouvait-elle être si sereine,
alors qu'elle avait appris la mort de ses
parents ? Alors qu'elle était allongée
dans ce lit, avec son corps inerte ?

Pendant un court instant, je l'avoue,
je me suis demandé si elle n'avait pas
perdu la raison dans l'accident. Si pour
tout oublier elle n'était pas devenue

folle, d'une folie si douce que personne ne s'en était encore aperçu.

Et puis je me suis entendu lui parler. Pas comme un infirmier le fait d'ordinaire à un malade. Non. Peut-être comme un enfant de huit ans se confierait à son amie, un jour de tempête, dans le grenier d'une grande maison blanche :

– Moi non plus je ne pleure pas quand les gens meurent...

– Pourquoi, Jules ?

Je lui ai raconté.

Oh ! pas tout évidemment. Mais comment, depuis la disparition de mon grand-père, j'avais grandi avec un trou dans le cœur, dans lequel les gens se noyaient dès qu'ils mouraient.

Elle m'a fixé dans les yeux un long moment avant de murmurer :

– Tu dois être malheureux, Jules.

C'était elle qui me plaignait…

J'aurais voulu pouvoir lui parler encore, pour savoir, mais ce fut une nuit de pleine lune agitée, et les malades m'ont appelé sans arrêt.

Au petit matin, Lola dormait. Je suis allé l'embrasser avant de rentrer me coucher.

CHAPITRE 4

Je me suis réveillé vers deux heures de l'après-midi. Des questions tournaient sans cesse dans ma tête. Comment Lola pouvait-elle trouver la force de me plaindre ?

Pourquoi n'avait-elle pas peur de la mort ?

Pourquoi n'avait-elle pas besoin d'une épée en bois pour la combattre ?

Au regard que Jocelyne a posé sur moi quand j'ai pénétré dans la salle d'accueil, j'ai compris que quelque chose de grave s'était passé.

– Lola ?

Jocelyne a acquiescé de la tête.

– Ils sont en train de l'opérer...

Une douleur aiguë m'a serré la poitrine.

– Ça ne va pas ? s'est inquiétée Jocelyne. Tu ne te sens pas bien ?

J'ai dû m'asseoir. Elle m'a tendu un verre d'eau.

– Tu l'aimes bien cette petite, hein ? Elle est si courageuse... Et je crois qu'elle t'aime bien, elle aussi...

Elle a fouillé dans la poche de sa blouse.

– Tiens, quand on lui a appris qu'elle allait être opérée, elle a demandé qu'on branche un magnétophone à côté d'elle, pour enregistrer une cassette. Elle m'a dit de te la donner. Je ne sais pas ce qu'il y a dessus. Elle n'a pas voulu que je reste...

J'ai pris la cassette d'une main tremblante.

– Tu devrais rentrer, Jules. Tu n'as pas l'air dans ton assiette. On va se débrouiller...

– Merci, Jocelyne... Je te revaudrai ça. Téléphone-moi après l'opération.

– D'accord. Ne t'en fais pas, elle va s'en sortir...

De retour chez moi quelques minutes plus tard, j'ai introduit la cassette dans le magnéto.

Après avoir enfoncé le bouton *start*, et sans prendre la peine de me dévêtir, je me suis allongé sur mon lit.

« Bonjour, Jules. Ils vont m'opérer tout à l'heure. C'est bête, on ne pourra pas se voir ce soir. Je t'aime beaucoup, tu sais.

On dirait que ça fait déjà longtemps qu'on s'est rencontrés. Comme si on s'était connus dans la grande maison blanche que tu habitais quand tu avais mon âge.

Elle était triste ton histoire.

Moi je voudrais te raconter un rêve que je fais souvent, depuis que je suis toute petite. Tu m'écoutes ?

Dans ce rêve, je me vois avant, quand je ne suis pas encore née. Pas quand j'attends dans le ventre de ma maman, non, avant encore.

Je vis dans les étoiles. Il y a plein de gens avec moi. Enfin, c'est pas vraiment des gens. Là-haut on a la forme qu'on veut. Et on voyage sur la queue des étoiles filantes. J'ai fait au moins des millions de millions de kilomètres depuis mon premier rêve !

Je vois des planètes super belles, et d'autres qui me font terriblement peur.

Et puis je passe près de la Terre. C'est la première fois. Je m'arrête pour voir.

Au début, ça ne me plaît pas. Pourtant c'est joli avec les montagnes, les forêts, les mers, et tout ça. Mais dans plein d'endroits, il y a la guerre, et des *gens qui meurent de faim. Alors je veux partir.*

Mais, à ce moment-là, je repère deux petits points, au beau milieu d'une ville.

Je m'approche. C'est un homme et une femme, accoudés à une fenêtre. Et c'est mes parents. Ils rêvent en regardant les étoiles.

Je les trouve drôlement beaux. Tellement beaux qu'une fois je me suis réveillée en pleine nuit en pleurant...

Alors malgré les planètes que j'ai déjà vues, et qui étaient bien plus belles que la Terre, j'arrête de voyager. Et, dès que la nuit tombe, je redescends vers la ville.

Je me cache derrière une étoile, et je regarde cette femme et cet homme.

Je les aime. J'ai envie de me blottir contre eux. Je m'approche à chaque fois un peu plus, et un soir, je les entends.

Mon père dit :

— Rentrons, il fait froid...

Mais ma mère répond :

— Attends ! Une étoile filante ! Vite, faisons un vœu !

Je lis dans leurs pensées.

Et Jules, tu sais ce qu'ils veulent tous les deux ? Un bébé...

Alors au matin, quand les premiers rayons du soleil me chassent, je décide que leur bébé, ce sera moi. Et... »

La voix de Jocelyne l'interrompt :

« Tu as terminé ? Je viens te chercher dans deux minutes. »

Alors Lola reprend, en parlant vite, comme si elle craignait de ne pas avoir assez de temps pour tout me raconter :

« Je vais te dire un secret, Jules. Depuis l'accident, je sais que ce rêve n'est pas qu'un rêve, C'EST VRAI.

C'est comme ça que ça s'est passé. Il faut que tu me croies, Jules. C'est important. IL FAUT QUE TU ME CROIES.

Et si je ne pleure pas, même si mes parents sont morts, c'est parce que... »

Jocelyne est revenue. Il y a eu le clic du bouton *stop*, et puis plus rien.

J'aurais voulu pouvoir parler à Lola. Lui assurer : OUI, LOLA, JE TE CROIS.

Le téléphone a sonné.

C'était Jocelyne.

– C'est terminé... Il n'y a pas eu de pro-
blème... Elle est en salle de réanimation.

Je me suis endormi apaisé, un rêve
étoilé dans la tête.

CHAPITRE 5

J'avais la main sur la poignée de la porte quand le téléphone a sonné tout à l'heure.

– Jules ? C'est Jocelyne. Tu n'es pas encore parti ? Il faut que tu te dépêches. La petite ne va pas bien. Elle veut te voir...

J'ai dévalé les escaliers le ventre noué, et j'ai couru de toutes mes forces dans la rue. J'AVAIS PEUR.

Le prénom de Lola rebondissait et se cognait dans ma tête.

Je suis arrivé à l'hôpital les jambes flageolantes. Les couloirs étaient silencieux. Je me suis précipité dans sa chambre. Jocelyne et le chirurgien se tenaient au pied du lit.

Quand Lola m'a aperçu, un faible sourire a éclairé son visage. Je l'ai embrassée. J'ai serré sa main paralysée.

– Ne t'en va pas Lola... j'ai supplié tout essoufflé. Ne t'en va pas... Reste avec nous Lola...

Ses lèvres ont bougé. Dans un souffle elle a murmuré :

– Cherche-moi Jules... dans les étoiles...

Ses yeux se sont fermés.

Sur l'écran du moniteur cardiaque, il n'y a plus eu qu'une ligne. Une ligne droite, comme celle de l'horizon, quand la mer rejoint le ciel.

Je suis assis sur la plage. Je pleure.

L'auteur

Né en 1959, Thierry Lenain a trois enfants. D'abord enseignant dans le primaire, il se consacre depuis 1986 à l'écriture. Depuis 1992, il est également rédacteur en chef de la revue de littérature jeunesse « Citrouille ».

Du même auteur,
aux éditions Syros

Un pacte avec le diable, coll. « Les uns les autres »,
1988

Pas de pitié pour les poupées B., coll. « Mini
Syros Polar », 1991, 2008

La Fille du canal, coll. « Les uns les autres »,
1994

Dans la collection
« Mini Syros Romans »

Le magot des dindons
Claudine Aubrun

Un amour de poule
Claudine Aubrun

Tonton Zéro
Roland Fuentès

Le Petit Napperon rouge
Hector Hugo

Un marronnier sous les étoiles
Thierry Lenain

La valise oubliée
Janine Teisson

Je suis amoureux d'un tigre
Paul Thiès

Le voleur de bicyclette
Leny Werneck

Loi n° 49-956 du 16 juillet 1949
sur les publications destinées à la jeunesse,
modifiée par la loi n° 2011-525 du 17 mai 2011.

Mise en pages : DV Arts Graphiques à La Rochelle
N° d'éditeur : 10209553 – Dépôt légal : septembre 2012
Achevé d'imprimer en septembre 2014
par Clerc (18200, Saint-Amand-Montrond, France)